DÉCOUVRIR ET PRATIQUER

Collection dirigée par Jean Vivès

LE HANDBALL

Jean-Luc DRUAIS
et Marie-Florine DRUAIS

SPORTS BORNEMANN
PARIS

Maquette et couverture : Jacques RAYEZ
Photos gardes et intérieur : TEMPSPORT
Dessins : Carmen MÜLLER

SOMMAIRE

ISBN 2-85182-449-X - ISSN 0993-5126

INTRODUCTION

Le Handball à 7, sport scolaire numéro 1 en France, est très répandu également parmi les étudiants. Il compte 180 000 licenciés dans les clubs civils.

Comme tous les autres sports, il a subi, pour en arriver à sa forme actuelle, de multiples transformations. Il est considéré comme un des sports les plus jeunes, et ne démarre sous sa forme moderne qu'en 1938, date à laquelle sont organisées les premières compétitions internationales officielles.

Il provient de la transformation de certains jeux populaires dont on trouve la trace un peu partout en Europe (au début du XXe siècle) :

— en Tchécoslovaquie où le « Hazena » dont la pratique remonte à 1892, est un jeu encore pratiqué de nos jours ;

— au Danemark où le « Hand Bold » pratiqué sur un terrain réduit avec des règles semblables à celles du Handball à 7, voit le jour dans les écoles vers 1898 ;

— en Russie où des compétitions avec des équipes de 7 joueurs sur des terrains en dimensions réduites, débutent vers 1913 ;

— en Allemagne où, vers 1915, est créé le « Torball », combinaison de plusieurs jeux populaires, puis en 1919 le « Hand Bold » pratiqué par les filles et les garçons sur un terrain de football.

L'équipe compte alors onze joueurs, la cage de but est identique à celle du football, la zone devant les buts est à onze mètres, le ballon, qui est bien sûr lancé à la main, est un ballon de football. On découvre la course en dribble (trois foulées, 1 dribble, trois foulées, 1 dribble, etc.) et la lutte pour la dépossession du ballon.

En 1934, le Handball à 11 est inscrit par le Comité Olympique International au nombre des sports olympiques : la zone est reculée à 13 mètres, le ballon est plus petit.

Aux Jeux Olympiques de Berlin, six nations participent.

A la même époque les pays Nordiques, en raison de leurs conditions climatiques peu compatibles avec un sport de plein air, transforment ce Handball à 11 en Handball à 7.

C'est en 1938 qu'ont lieu les deux premiers championnats du monde : l'un à 11, l'autre à 7.

C'est le handball à 7 qui progresse alors plus rapidement dans tous les pays d'Europe pour devenir peu à peu le seul pratiqué sous sa forme moderne.

Pourquoi aimer le Handball, pourquoi choisir sa pratique plutôt qu'une autre ?

Peut-être parce qu'il permet, plus que les autres sports collectifs de petit terrain, à la fois de courir, lancer, sauter, qu'il permet aussi la lutte pour la balle, le contact physique avec l'adversaire selon des modalités précises, et qu'il permet, enfin, le tir au but et le duel excitant avec un gardien qui protège sa cage !

En effet, en plus des joueurs de champ, l'équipe de Handball possède un « spécialiste », le gardien de but. Il est le dernier rempart de la défense et, lorsqu'il a réussi un arrêt, devient le premier maillon de l'attaque. Il règne sur une portion du terrain où lui seul peut évoluer : la « zone » qui délimite l'endroit à partir duquel les tirs adverses peuvent être déclenchés et où les joueurs de champ peuvent se tenir *(page 2 de couverture)*.

Ce sport laisse la place à tous les talents, on note dans les équipes des gabarits divers qui font le bonheur de la collectivité, petits et grands se côtoient et partagent les tâches.

Certains postes accueillent les petits, les rapides, d'autres nécessitent des plus grands, plus solides, même moins véloces.

Les règles essentielles sont aisées à comprendre, puis à assimiler. Le déroulement d'un match est simple : en plus de l'arbitre (deux dans des matchs officiels de haut niveau) une seule personne suffit pour tenir la table de marque et aider l'arbitre.

Toutes ces raisons peuvent vous inciter à découvrir ce sport, à prendre un plaisir intense dès l'apprentissage, puis à le pratiquer d'une façon de plus en plus performante.

CHAPITRE I

LE JEU - LES RÈGLES

Pour connaître un sport et l'apprécier, il convient de comprendre le jeu et les mécanismes qui le sous-tendent.

La règle, bien qu'indispensable, ne doit pas être considérée comme première, elle n'intervient que pour codifier l'activité et permettre aux participants de jouer « ensemble ».

L'histoire des sports montre que c'est toujours le jeu qui précède la règle, qui la fait évoluer au fil des ans et des besoins du jeu.

Les règlements subissent des modifications dont le but essentiel est de donner au jeu un plus grand dynamisme donc plus de plaisir aux participants et aux spectateurs, et aussi de protéger les joueurs dans les sports où, comme au Handball, le contact est permis.

Il existe une logique dans la conduite des participants qui évoluent entre les libertés et les contraintes définies par le règlement. Notre présentation du jeu ne vise pas à dresser une liste complète des caractéristiques de ce règlement, ni à définir toutes les sanctions possibles, ni leur mode d'application.

Elle cherchera plutôt à refléter la vie du jeu, à en expliquer la dialectique qui détermine les comportements tactiques des joueurs et les mouvements du ballon.

Comme dans tous les sports collectifs, la possession ou non du ballon donne à chaque joueur deux rôles distincts : celui d'attaquant et celui de défenseur qui alternent rapidement selon le cours du jeu.

Quelle que soit la situation du jeu, TOUS les joueurs sont concernés puisque leurs rôles et les tâches qui y sont liées en dépendent.

Les attaquants doivent :

— assurer la progression de la balle vers le but,

— assurer le maintien de la possession du ballon avec circulation du ballon, déplacements des joueurs pour mettre la défense en difficulté et permettre les tirs,

— marquer des buts,

— dans le cas de non réussite, être prêts immédiatement à devenir défenseurs.

Les défenseurs doivent :

— mettre en difficulté l'attaque adverse,

— protéger leur but,

— tenter de récupérer le ballon,

— dès la récupération du ballon, changer de rôle immédiatement et devenir attaquant pour mettre en danger le but adverse.

Le règlement codifie les relations entre partenaires et adversaires.

1. LE TERRAIN ET LE BALLON

Même si le Handball a longtemps été pratiqué à l'extérieur, on peut actuellement le considérer comme un sport de salle car la quasi totalité des équipes, qu'elles soient scolaires, universitaires ou de clubs, le jouent dans des gymnases.

Ces conditions de pratique ont fait évoluer ce sport vers plus de dynamisme, de vitesse, de précision. On peut sauter plus haut, plus loin, courir plus vite ; les gestes techniques deviennent plus précis, l'engagement physique est favorisé.

Les dimensions officielles d'un terrain sont de 40 m sur 20 m, mais des terrains de 38 m × 18 m existent également.

Même s'ils ne sont pas homologués au plus haut niveau, ils permettent toutefois au jeu de se développer, en particulier pour les équipes de jeunes.

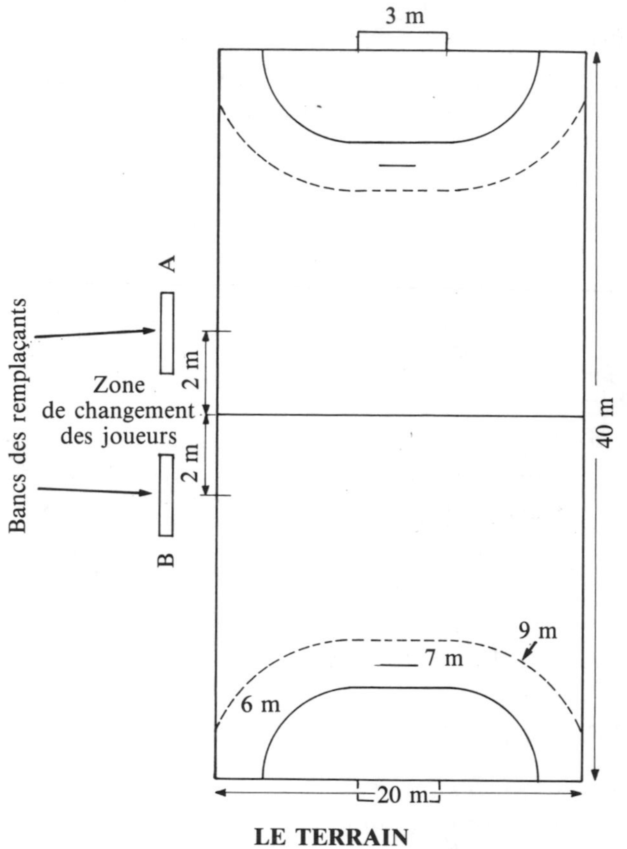

LE TERRAIN

Les buts mesurent 2 m × 3 m. Ils sont placés en dehors de la surface du terrain contre la ligne de fond.

LE BUT

Le ballon

La taille des ballons ronds est différente selon les catégories d'âge, pour permettre à tous une manipulation assez facile.

2. LA COMPOSITION D'UNE ÉQUIPE

Ce sport se joue à 7 joueurs contre 7 : chaque équipe a sur le terrain 6 joueurs de champ et 1 gardien de but. Pour les matchs officiels on remplit une feuille de match où peuvent figurer 12 noms. Ces douze joueurs (10 joueurs de champ et 2 gardiens de but) pourront participer au jeu à tour de rôle et se remplacer. Depuis 1991, 14 joueurs peuvent participer à une rencontre dans les championnats de N 1 A.

Au Handball les changements de joueurs peuvent s'effectuer à n'importe quel moment du match à condition d'opérer dans une zone de 2 mètres de part et d'autre de la ligne médiane et de ne laisser sur le terrain que le nombre réglementaire de joueurs.

Le nombre et la fréquence des changements ne sont pas limités et permettent ainsi au manager de l'équipe une grande liberté de manœuvre pour la conduite du match et un jeu toujours plus dynamique.

3. LA DURÉE DES MATCHS est fixe mais différente selon les catégories d'âge.

Catégories	Âges	Durée des matchs
Benjamins	11-12	2 × 15'
Minimes	13-14	2 × 20'
Cadets	15-16	2 × 25'
Juniors	17-18	2 × 30'
Seniors	19 et +	2 × 30'

Entre les deux mi-temps, il y a une pause de 10 minutes pendant laquelle les équipes peuvent quitter le terrain pour récupérer et réfléchir aux améliorations possibles pour la suite du jeu.

Il n'y a pas de « temps morts » comme au Basket-Ball et au Volley-Ball.

Seul l'arbitre peut arrêter le temps en des occasions très précises :
— le ballon propulsé dans les tribunes va mettre un certain temps à être récupéré ;
— une équipe qui mène au score et en fin de match tarde à remettre la balle en jeu.

Ces arrêts de jeu ont pour but, dans le premier cas, de garder au match sa durée véritable, dans le deuxième cas, de faire vivre le jeu en empêchant une équipe de « truquer » et de le ralentir abusivement.

L'arbitre arrête également le temps lorsqu'un des joueurs s'est blessé ou lorsqu'il a des remarques importantes à formuler aux protagonistes.

Les buts marqués comptent un point chacun quels que soient la manière ou l'endroit dont ils ont été tirés. Ils donnent lieu à une remise en jeu au centre du terrain par l'équipe qui vient d'encaisser le but.

4. LA ZONE RÉSERVÉE AU GARDIEN. Spécifique au Handball, elle est délimitée par un « presqu'arc de cercle » situé à 6 mètres de la ligne du but.

Elle fixe la distance limite d'intervention des attaquants et des défenseurs par rapport aux possibilités de parade du gardien.

Cette « zone » est interdite aux joueurs de champ qu'ils soient attaquants ou défenseurs : ceux-ci ne doivent absolument pas y pénétrer. S'ils le font, la balle est invariablement rendue aux adversaires. Plusieurs cas de figures se présentent :

— *pour l'attaquant :*

- il empiète en tirant (soit à l'impulsion, soit à la réception du geste), le but éventuellement marqué ne compte pas, la balle est donnée à l'autre équipe,

- il empiète en passant, avec ou sans ballon, le long de la zone, la balle est donnée aux adversaires ;

— *pour le défenseur :*

- il empiète dans sa zone pour gêner, contrer ou venir gêner un adversaire en position de tir. Cette « défense en zone » est sanctionnée par un penalty (jet de 7 mètres).

Les penaltys, même s'ils sanctionnent, le plus souvent, des fautes sur des tirs proches de la zone, sont sifflés dès l'instant où un joueur attaquant est gêné de façon illicite et brutale alors qu'il peut marquer :

— *soit en position de tir,* près ou un peu éloigné de la zone,

— *soit dans une situation favorable qui doit l'amener à marquer,* même au milieu du terrain s'il contre-attaque et qu'il n'y a plus devant lui aucun défenseur autre que celui qui fait faute sur lui.

Contrairement au Basket-Ball où c'est obligatoirement le joueur agressé qui se fait « justice » en tirant les lancers francs, c'est, au Handball, n'importe lequel des joueurs de l'équipe qui effectue la réparation.

Le joueur se présente face au gardien adverse pour essayer de le battre. Il doit, pour que son tir soit validé :

— attendre le coup de sifflet de l'arbitre,

— garder au moins un appui au sol en tirant sans bouger le pied, ni surtout effleurer la ligne de penalty qui se trouve à 7 mètres face au but.

5. QUELQUES RÈGLES

Ces conditions de règlement énoncées, voyons maintenant les points les plus importants qui régissent un sport collectif et en font son originalité : ceux concernant les bases techniques, ceux précisant les droits de chacun dans la relation attaque défense, ceux qui modulent la nature même de l'affrontement entre les équipes.

— Le ballon joué à la main doit, même au prix de passes de soutien, progresser vers le but adverse. Il ne doit pas sortir des limites du terrain sinon la balle est remise en jeu par l'adversaire à l'endroit de la sortie.

L'attaquant ne doit pas faire plus de trois pas en tenant le ballon dans les mains.

Il lui faut donc :
- faire des passes à des partenaires,
- dribbler si aucun partenaire n'est disponible ou, du moins, dans une position favorable.

— Les attaquants non porteurs de balle peuvent se déplacer n'importe où sur le terrain (sauf dans les zones) sans heurter leurs adversaires. Ils doivent prendre en défaut, par leur circulation qui implique évidemment celle du ballon, la vigilance des défenseurs, en se démarquant pour trouver des espaces disponibles.

— Les défenseurs peuvent gêner les attaquants de différentes façons :
- sur les porteurs de balle : ils ont le droit d'essayer de poser la main sur le ballon lorsque l'adversaire l'a en sa possession pour l'empêcher de passer ou de tirer ou, du moins, pour ralentir la circulation de la balle,
- sur les non porteurs de balle : les « marquer » de près, sans les toucher, pour les empêcher de recevoir la balle ou pour ralentir leur déplacement,
- sur les trajectoires des balles : au départ ou à l'annonce d'une passe pour l'intercepter.

SANCTIONS

Des manquements aux différentes règles qui permettent au jeu d'exister sont punis par une gamme de sanctions :

- Jets francs

La balle est rendue à l'adversaire qui la joue au lieu de la faute, dans les cas de :

Marchers.

Reprise de dribble.

Défense irrégulière mais non violente sur un porteur de balle qui n'est pas en position de tir.

Défense irrégulière sur un non porteur de balle.

Passage en force d'un attaquant qui percute un défenseur immobile.

- Penaltys (jet de 7 mètres) :

Comme nous l'avons vu dans le cas de défense irrégulière sur tireur.

Également (et c'est rare) quand un joueur passe la balle à son propre gardien alors que celui-ci se trouve dans sa zone.

- Avertissement : pour signaler à un joueur qu'il est irrégulier et qu'il va être exclu s'il persiste. L'arbitre sort alors un carton « jaune ».

- Exclusion

— Défense très irrégulière.

— Acte violent de n'importe lequel des joueurs.

— Anti-jeu :
- ne pas rendre rapidement la balle à l'adversaire dans le cas d'une faute,
- gêner l'adversaire à moins de 3 mètres lorsqu'il remet la balle en jeu sur coup franc.

Dans ces cas le joueur fautif est exclu 2 minutes. L'équipe joue à 6 pendant ces 2 minutes.

- Disqualification

Un joueur qui est exclu pour la 3e fois reçoit un « carton rouge » et ne joue pas la fin du match. L'équipe joue à 6 pendant 2 minutes puis le remplace.

De même, un joueur qui commet une faute grave peut être immédiatement disqualifié.

- Expulsion

Elle punit un acte violent et dangereux dans un esprit qui n'a rien à voir avec le sport. Le joueur quitte la salle et n'est pas remplacé.

Bien heureusement ces sanctions graves ont rarement lieu d'être utilisées, puisque le Handball, comme les autres sports collectifs, est vécu comme un plaisir pour les participants.

Tenter de comprendre la règle à travers sa logique propre et celle du jeu permet de développer l'initiative personnelle et de s'intégrer au mieux dans les actions collectives.

L'entraînement aux plans technique, tactique, physique, qu'il soit individuel ou collectif est le moyen de profiter, en les maîtrisant, des richesses de ce sport.

CHAPITRE II

COMMENT PRÉPARER LE JOUEUR ?

Tout le monde peut jouer au Handball, même sans préparation particulière, c'est ce qui rend ce sport accessible à tous et attrayant.

Cependant, pour bien jouer et faire des progrès, vous allez devoir vous entraîner et apprendre tous les gestes techniques avec et sans ballon qui vous permettront de réussir des actions individuelles.

De plus, il va falloir apprendre à jouer « en équipe » avec vos partenaires pour battre l'équipe adverse : ce sera la préparation tactique de l'équipe. Enfin, pour sauter plus haut, tirer plus fort dans les buts et courir plus vite, la préparation physique est nécessaire.

Ces trois types de travail seront permanents pendant toute la carrière de joueur quel que soit son niveau et quelle que soit sa catégorie. Aucune préparation, aussi parfaite soit-elle, ne peut être considérée comme définitive, car il y a toujours quelque chose à améliorer. De plus, le travail des combinaisons déjà effectué doit être entretenu de façon à ne pas être oublié.

Il faudra bien sûr préparer le gardien de but à qui nous consacrerons un chapitre spécial.

1. PRÉPARATION TECHNIQUE DU JOUEUR

Ce bagage technique du joueur comprend deux types de savoir-faire :

— les savoir-faire avec ballon,

— les savoir-faire sans ballon : ceux-ci se situeront dans deux phases du jeu différentes suivant que l'équipe du joueur considéré a la balle (elle est en attaque) ou qu'elle n'a pas la balle (elle est en défense).

1.1 - LES SAVOIR-FAIRE AVEC LE BALLON

Comme nous l'avons vu, les **déplacements avec la balle** en main sont limités à 3 pas. Au-delà, le joueur doit obligatoirement utiliser

- le dribble

Le dribble consiste à faire rebondir le ballon au sol en le poussant entre chaque rebond **avec une main.**

L'apprentissage se fait de façon diverse :

— sur place : le joueur fait rebondir le ballon sans déplacement,

— en courant,

— en utilisant alternativement les 2 mains.

A un plus haut niveau, certains exercices d'apprentissage peuvent s'apparenter au jonglage en utilisant deux ballons.

Exemple :

1. Dribbler sur place avec deux ballons.
2. Dribbler en slalom.

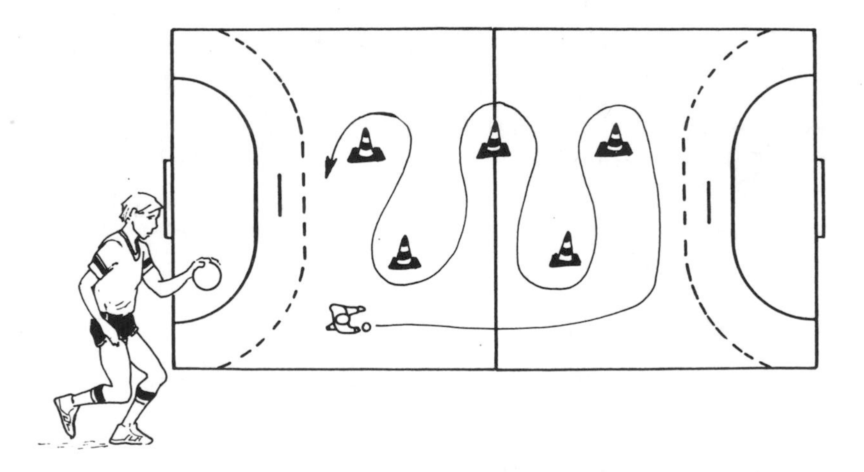

3. Deux joueurs ont chacun un ballon avec lequel ils dribblent, ils essaient de prendre le ballon de l'adversaire sans arrêter de dribbler.

- les passes

Pour mettre en relation celui qui a la balle et celui qui va la recevoir il existe plusieurs techniques de passes.

Ces techniques varient :

— par la trajectoire empruntée par le ballon
- passe lobbée,
- passe directe,
- passe à rebond,
- passe dans le dos,
- passe par dessus l'épaule ;

passe directe

passe à rebond

— en fonction du geste effectué par celui qui envoie la balle
- avec armé du bras,
- sans armé du bras (passe poignet),
- passe piston,
- passe latérale,
- joueur en appuis (1 ou 2 pieds au sol),
- joueur en suspension.

LES PASSES

Avec armé du bras

Piston

Latérale

Armé du bras, en suspension

Dans le dos

Derrière la tête

Passe lobbée

Il n'existe pas une bonne technique de passe mais des techniques que chaque joueur doit apprendre et utiliser au mieux de la situation à laquelle il est confronté.

L'apprentissage des passes doit bien sûr commencer dès le premier niveau car c'est l'élément indispensable de communication entre les joueurs à l'aide du ballon.

Ces exercices proposés pendant l'entraînement veilleront donc à étudier toutes les techniques possibles en mettant les joueurs dans des conditions d'apprentissage variées.

Exemple :

1.

2 colonnes de joueurs face à face : ils doivent se « passer » la balle puis se mettre derrière la colonne.

2. **2 joueurs** en déplacement sur le terrain se passent 1 ballon.

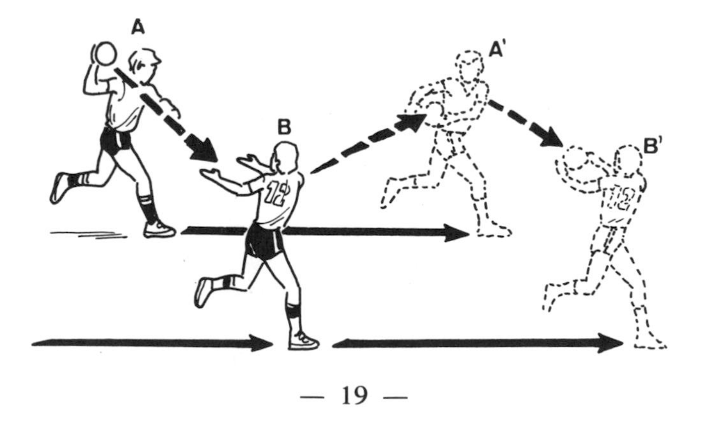

3. Même exercice avec 2 ballons.

4. Même exercice avec 1 ballon en plus qui est passé au pied.

5. **3 joueurs :** 1 défenseur - 2 attaquants.

Les deux attaquants se passent la balle, le défenseur tente d'intercepter le ballon.

6. **Six joueurs** sur une zone se passent la balle en variant les trajectoires du ballon au maximum.

7. Passe à **10** sur tout le terrain.

8. Passe à **10** avec uniquement des passes à rebond.

Tous ces gestes sont utilisés comme des outils de relation entre les joueurs et comme des outils de préparation au geste final : **le tir**.

Celui-ci est, en principe, la conclusion de ce qui s'est passé avant, afin d'atteindre l'objectif fixé : **marquer un but**.

- les tirs

Comme pour les passes, puisque les gestes peuvent parfois se ressembler, les tirs pourront être effectués soit en appuis (les 2 pieds ou 1 pied au sol), ou en suspension (le joueur ne touche pas le sol).

TIR EN APPUI

TIR EN SUSPENSION

En revanche, l'objectif de la passe qui était de transmettre le ballon à un partenaire ne sera pas identique puisque pour le tir il s'agira de faire entrer le ballon dans le but protégé par le gardien de but de l'équipe adverse.

Le tir en suspension au-dessus des défenseurs — VOLLE (France).

Afin de tromper la vigilance du dernier rempart de la défense adverse, le tir pourra être **direct, à rebond ou en lob.**

Tir direct

Tir à rebond

Tir en lob

Pour réussir à transformer un tir au but, le tireur va utiliser :

— la précision du tir : adresse,

— la puissance du tir : force,

— la surprise : feinte.

Pour être complet, il ne faut pas oublier un secteur très important dans de nombreux sports et en particulier au Handball : **la feinte**.

Celle-ci peut être une feinte de passe, de déplacement, et de tir... Elle est destinée à tromper le défenseur ou le gardien de but de façon à faciliter la réussite du geste choisi.

Toutes ces composantes entrent dans la réussite du tir. Elles sont à travailler soit séparément, soit ensemble dans les exercices d'apprentissage.

Quelques exemples :

1. ***Amélioration de l'adresse***

— Tirer sur une cible fixée dans un but de Handball ou sur un mur.

— Tirer dans un secteur du but choisi par le tireur ou par un partenaire.

— Tirer du côté de la jambe d'appuis du gardien.

Duel tireur-gardien de but — RICHARDSON (France).

— Tirer entre les jambes du gardien.

2. *Amélioration de la force*

— Tirer avec un medecine ball de 1 kg.

— Exercices de musculation spécifiques :
- développés, couchés

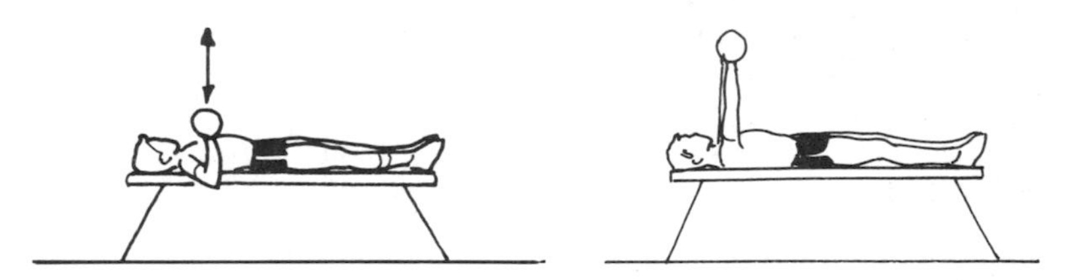

- pull-over

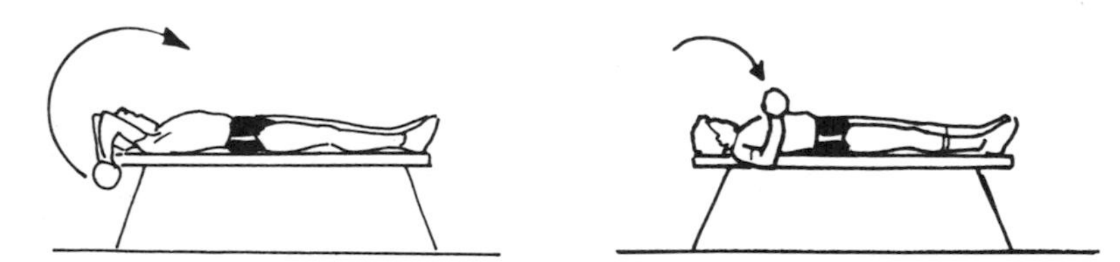

- utiliser le bras comme une lanière afin de donner au ballon une vitesse de lancer maximum.

3. *Travail de feinte*

— Tirer après une course préparatoire latérale qui oblige le gardien de but à se déplacer et tirer « à contre-pied ».

— Avec le bras qui tient le ballon, le joueur feinte de tirer d'un côté pour attirer le gardien puis shoote à l'opposé.

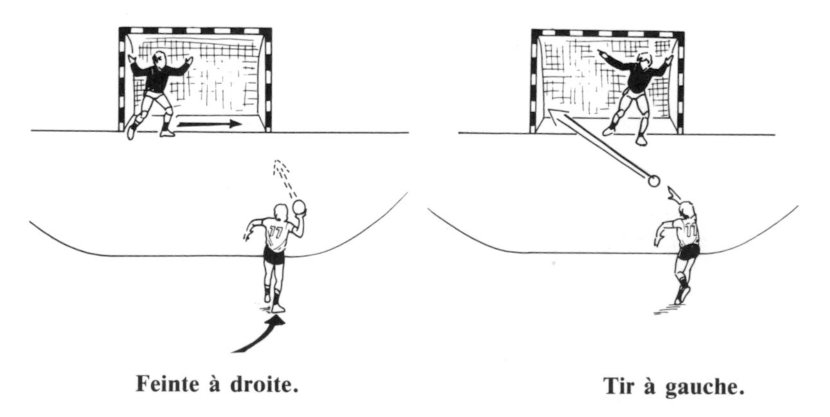

Feinte à droite. **Tir à gauche.**

- les feintes

Permanentes dans tout le jeu, elles peuvent être apprises dès le 1er niveau de jeu :

— ***Feintes de déplacement***

1. Exercice sans ballon

Exemple :

L'attaquant blanc doit passer de la zone A à la zone C sans se faire toucher par le défenseur noir qui ne peut pas sortir de la zone B.

2. Même exercice avec ballon

Le joueur blanc doit arriver dans la zone C en dribblant sans se faire toucher par le défenseur noir.

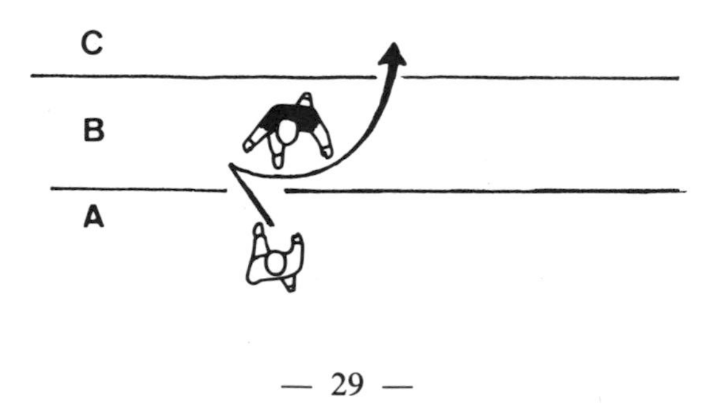

3. Exercice de 1 contre 1 avec ballon

Tirer au but après avoir débordé le défenseur B avec ou **sans** dribble.

— *Feintes de passe*

1. Le joueur feinte de passer à un partenaire et finalement passe à un autre partenaire.

11
11

2. Un joueur feinte de passer la balle en lob au-dessus du défenseur et finalement lui fait une passe à rebond.

Exercice :

1.2 - LES SAVOIR-FAIRE SANS BALLON

- En attaque

Le joueur doit être capable de se déplacer sur tout le terrain en utilisant des moyens très variés : en marchant, en courant vers l'avant, vers l'arrière, sur le côté. Sa vitesse de course doit être modulée en fonction de la situation : il doit pouvoir accélérer, ralentir, s'arrêter, redémarrer, changer de direction. Afin de recevoir un ballon en l'air, il devra pouvoir sauter très haut.

Le démarquage consiste, malgré la présence d'un ou plusieurs adversaires, à se mettre en position pour pouvoir recevoir le ballon.

Le blocage de l'adversaire ne consiste pas, comme certains le pratiquent, à tenir le défenseur pour l'empêcher d'agir sur le porteur du ballon mais à rendre son déplacement difficile voire impossible en se positionnant sur sa trajectoire.

Le retard occasionné doit permettre à l'attaquant ayant le ballon de tirer ou de trouver une situation favorable.

De plus, le joueur doit pouvoir utiliser des feintes comme avec les balles de façon à tromper le marquage des défenseurs.

Le démarquage

1. *Exercice :*

- 3 défenseurs.

Les attaquants doivent se faire le plus de passes possible sans se faire toucher par un défenseur alors que l'on a la balle dans les mains.

2. *Passe à 10*

Le blocage

Le joueur A veut aller tirer dans le secteur droit du terrain. Le défenseur C suit son déplacement pour le gêner. Le joueur se met

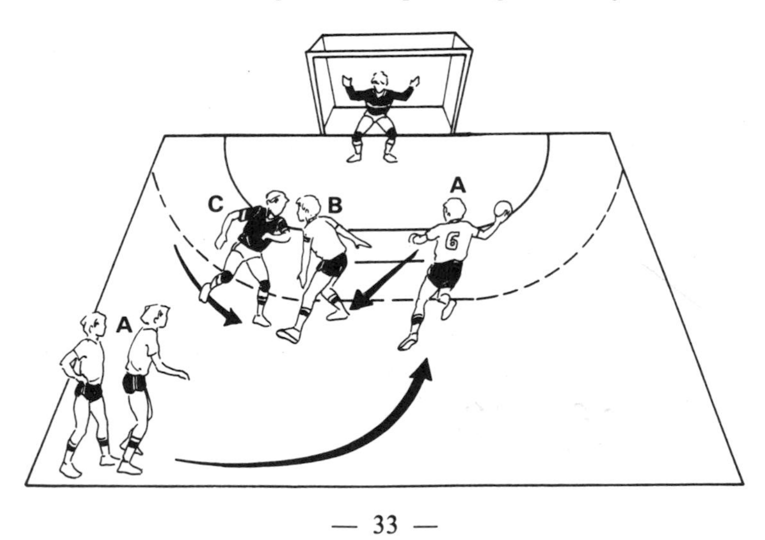

sur la trajectoire du joueur C pour l'empêcher de suivre A jusqu'au bout.

- **en défense**

Là encore, la vitesse et la variété des déplacements sont importantes car ce sont elles qui vont permettre au joueur d'intervenir pour gêner l'attaque adverse : soit en intervenant directement sur le porteur de balle, soit en intervenant sur les autres joueurs, voire, en anticipant les possibilités de trajectoire de balle, sur les passes.

Le Handball est un sport où le règlement autorise le contact physique entre les joueurs. Le défenseur doit donc être en mesure d'intervenir physiquement sur le porteur de balle afin de le gêner (ou de l'empêcher) dans son tir.

De plus, le défenseur peut **contrer** un tir de l'attaquant lorsqu'il se trouve sur la trajectoire du ballon.

Plus le bagage technique est grand, mieux le joueur peut répondre aux consignes tactiques qui auront été choisies en fonction de l'adversaire.

Techniques de déplacements

1. 2 joueurs face à face : 1 attaquant - 1 défenseur.

L'attaquant se déplace sur tout le terrain en utilisant des déplacements variés : avant, arrière, latéral.

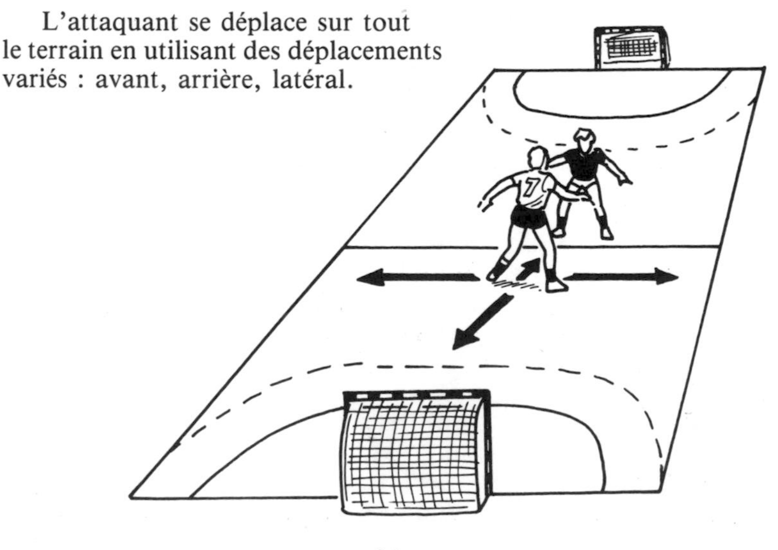

Le défenseur doit toujours être face à lui en gardant la main à plat sur la poitrine de l'attaquant.

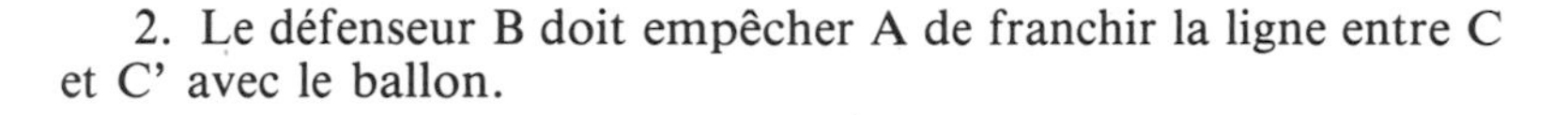

2. Le défenseur B doit empêcher A de franchir la ligne entre C et C' avec le ballon.

B touche le plot C' au départ, il doit se déplacer rapidement pour toucher, se mettre en obstacle à la course de A.

Ensuite B touche le plot C et se met en obstacle à la course de l'attaquant A suivant.

Techniques de défense

1. A passe le ballon à B qui lui rend. Il se présente alors devant B qui vient le bloquer dans son déplacement en mettant une main sur la balle et l'autre sur la hanche de A.

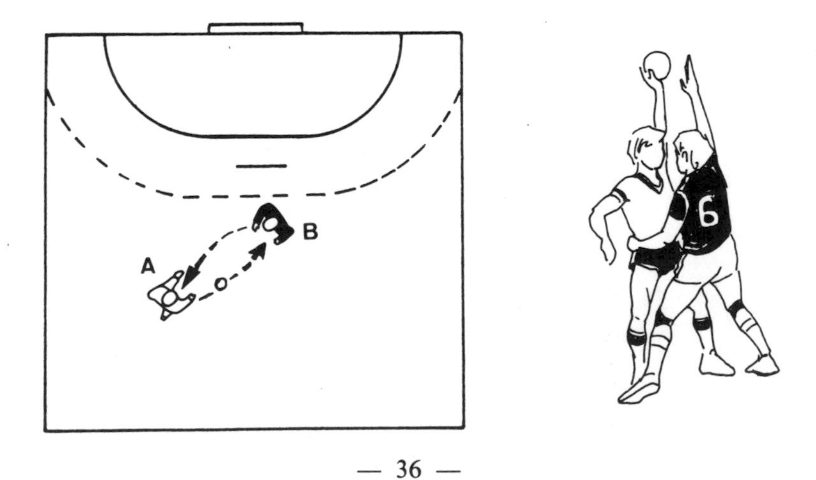

2. Même exercice avec tantôt le ballon dans la main droite, tantôt le ballon dans la main gauche pour A.

3. Même exercice avec tentative de débordement pour A après que B soit venu au contact.

Le contre

4. Le défenseur, au lieu de rechercher le contact du porteur de balle, peut choisir de se mettre sur la trajectoire du ballon à l'occasion du tir.

Ce geste se fera avec 1 ou 2 bras.

Les joueurs A tirent devant le joueur B qui tente de contrer le ballon.

2. PRÉPARATION TACTIQUE

Elle est destinée à enrichir le bagage tactique individuel et collectif. Il s'agit de donner au joueur la faculté de choisir dans la gamme des savoir-faire techniques qu'il maîtrise, celui qui est le mieux adapté à un moment précis en tenant compte de la situation donnée.

Celle-ci sera déterminée par l'analyse des points forts et des points faibles du ou des adversaires concernés ainsi que du ou des points forts et points faibles des partenaires.

La faculté pour le joueur de choisir judicieusement et de réussir le geste le mieux adapté détermine ce que l'on appelle communément « l'intelligence tactique ».

2.1 - LA PRÉPARATION TACTIQUE EN ATTAQUE

Dès qu'une équipe se retrouve en possession du ballon, elle est en **attaque**. Ceci fait dire que le gardien de but qui vient de récupérer le ballon est le premier attaquant. L'objectif de cette attaque va être de conclure la phase de jeu par un but.

Pour cela, elle va utiliser différents moyens en fonction du moment de cette attaque.

On caractérise en général plusieurs phases de l'attaque.

- **La contre-attaque directe**

Elle consiste, par une passe directe du gardien à un joueur démarqué dans le camp de l'adversaire à le mettre en situation de tir avant que la défense n'ait eu le temps de se replier.

Il arrive que ce joueur soit amené à passer la balle à un partenaire mais cette phase de jeu comprend rarement plus de 2 passes.

— *Quelques exercices*

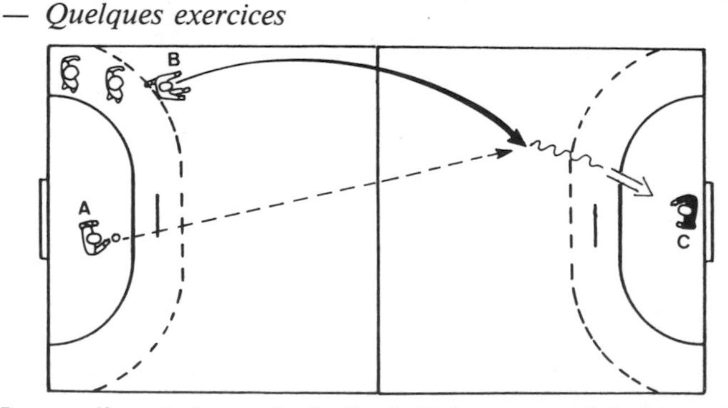

Le gardien A lance la balle à B lorsque celui-ci est dans la deuxième moitié du terrain. B va alors marquer un but à C.

2. Même exercice avec 1 défenseur.

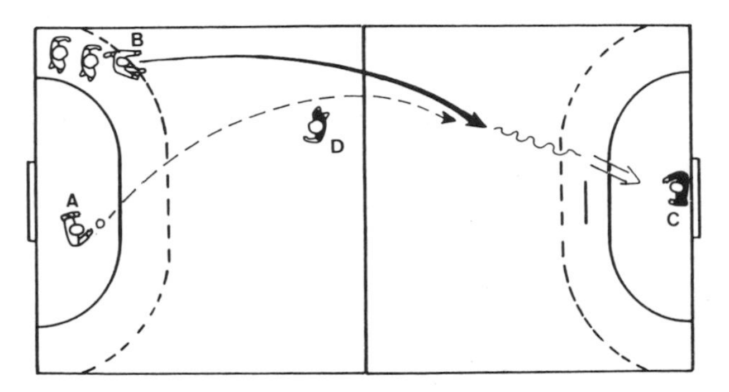

Le joueur D va gêner la réception du ballon par B.

3. Même exercice avec un défenseur qui gêne la passe du gardien A.

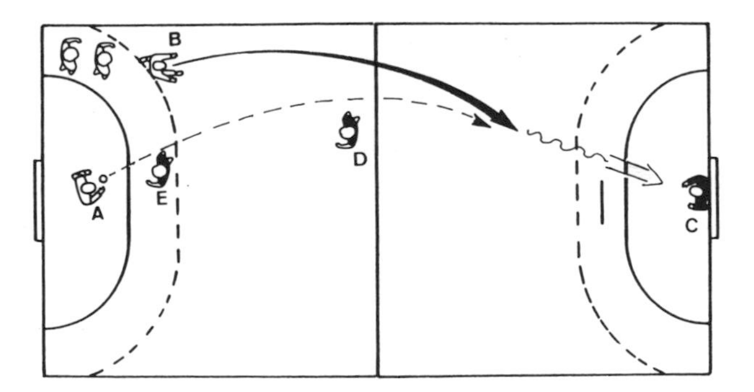

E gêne la passe de A.

D gêne la réception de D.

- **La montée de balle collective**

Lorsque la contre-attaque directe n'est pas possible (bon repli défensif), on peut procéder à une montée de balle rapide à plusieurs joueurs.

Par des courses rapides et variées, par des passes courtes, rapides, variées également, les attaquants vont prendre à défaut le repli défensif.

Dans ce cas, les passes seront nombreuses. Il arrive que cette montée de balle se poursuive après que la défense adverse soit revenue sur sa zone mais avant qu'elle n'ait eu le temps de s'organiser.

Exercices

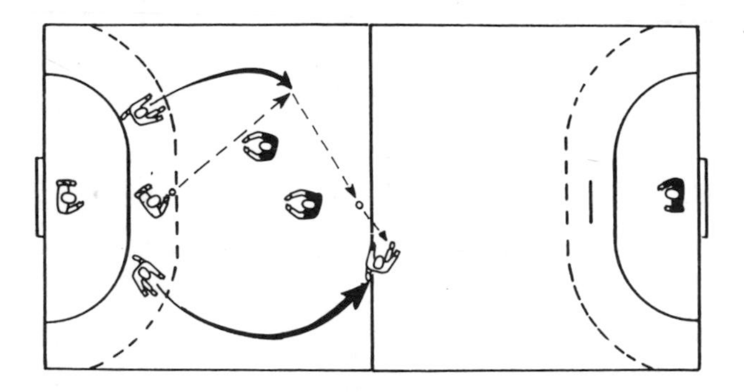

1. Par des passes nombreuses et variées, les attaquants (blancs) doivent aller marquer un but. 2 défenseurs (noirs).

Le dribble n'est pas autorisé.

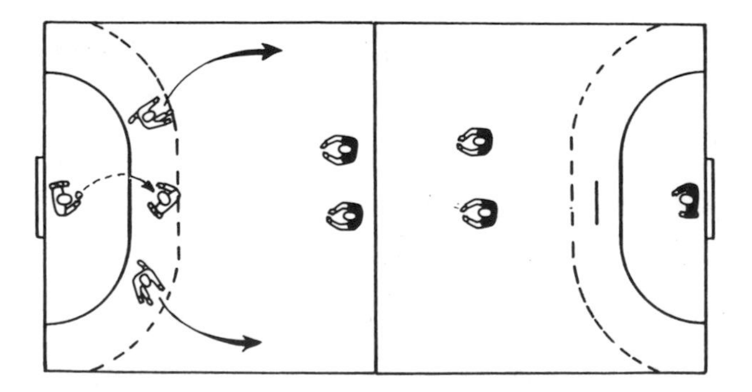

2. Même exercice mais il y a 2 défenseurs (noirs) dans la première moitié du terrain et 2 autres dans la seconde moitié.

3. 6 attaquants - 6 défenseurs.

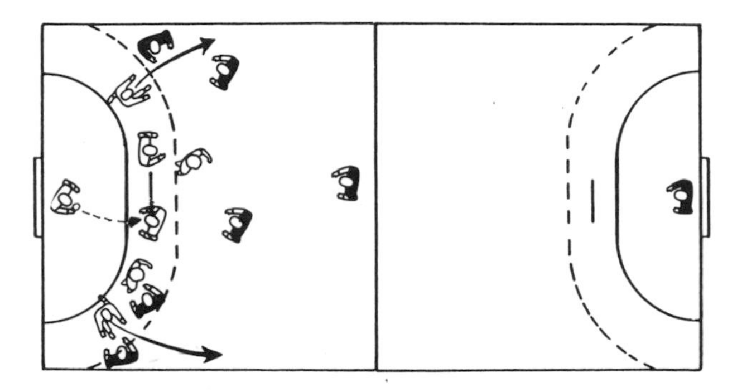

Monter la balle sans dribble et terminer par un tir.

- **L'attaque sur la zone**

Elle suit, en général, une phase de replacement de joueurs due à la phase précédente (contre-attaque directe ou montée de balle collective) lorsque celle-ci, bien sûr, ne s'est pas terminée par un but.

A ce moment, différents moyens individuels et collectifs vont être mis en œuvre pour déséquilibrer la défense et battre le dernier rempart de la défense : « le gardien » afin de conclure l'attaque par un but.

Le placement des joueurs, à partir d'un certain niveau se fera en 2 lignes : une ligne de 3 avants : 1 ailier gauche - 1 avant-centre (pivot) - 1 ailier droit.

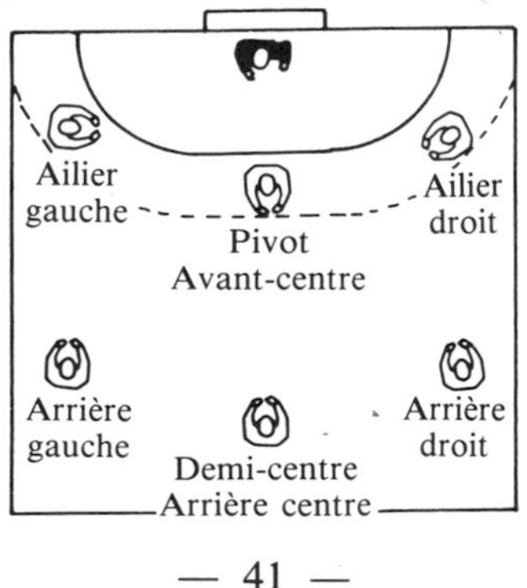

Une ligne de 3 arrières : 1 arrière gauche - 1 arrière centre (ou demi-centre) - 1 arrière droit.

Dans certains cas particuliers, ce placement pourra être modifié en fonction d'une tactique choisie (exemple : 2 arrières, 4 avants) ou en fonction d'une défense particulière (1 attaquant marqué en homme à homme stricte) il sera alors possible de jouer avec 4 arrières.

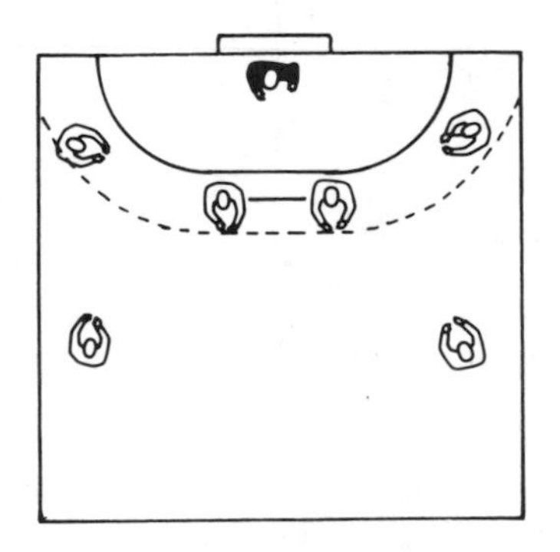

A ce moment de l'attaque, la notion de **rapport de force** entre en ligne de compte. Ce rapport de force est individuel et collectif.

— *Individuel*

L'attaquant **individuel** va évaluer et tester les possibilités de son adversaire direct afin de savoir s'il lui est possible de l'attaquer en **un contre un**. Les rapports de force ne sont pas obligatoirement les mêmes pendant tout le match. En fonction de la fatigue ou de l'adaptation de l'un à l'autre il se renverse.

— *Collectif*

La situation va être identique. L'attaquant qui, en principe a l'initiative va, sur des combinaisons travaillées à l'entraînement, et en fonction du type de défense présentée par ses adversaires tenter de mettre en difficulté cette même défense.

Ces combinaisons pourront concerner un nombre restreint de joueurs : 1, 2 ou 3 ou elles pourront concerner toute l'équipe.

Quelques exemples

— Le 1 × 1.

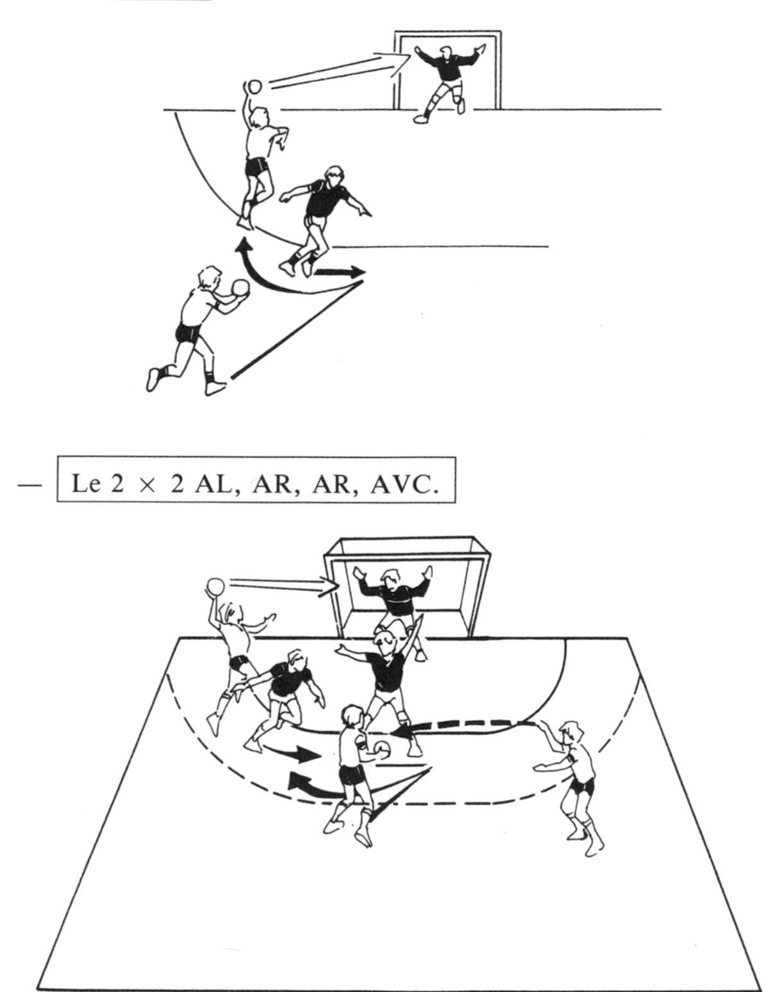

— Le 2 × 2 AL, AR, AR, AVC.

2 × 2 (1)

2 × 2 (2)

L'arrière exécute une attaque interne puis une attaque extérieure qui met son défenseur en difficulté. Le défenseur de l'ailier est obligé de venir aider son partenaire. Le porteur de ballon transmet le ballon à l'ailier qui va au but.

Autre exemple

— L'AR attaque avec le ballon vers l'intérieur.

— L'avant centre vient se placer devant le défenseur de son partenaire A pour le gêner.

— A bloqué c'est B qui vient défendre sur l'AR attaquant.

— L'avant centre s'engage alors vers le but pour recevoir la passe de son partenaire.

A
B
5

B
A

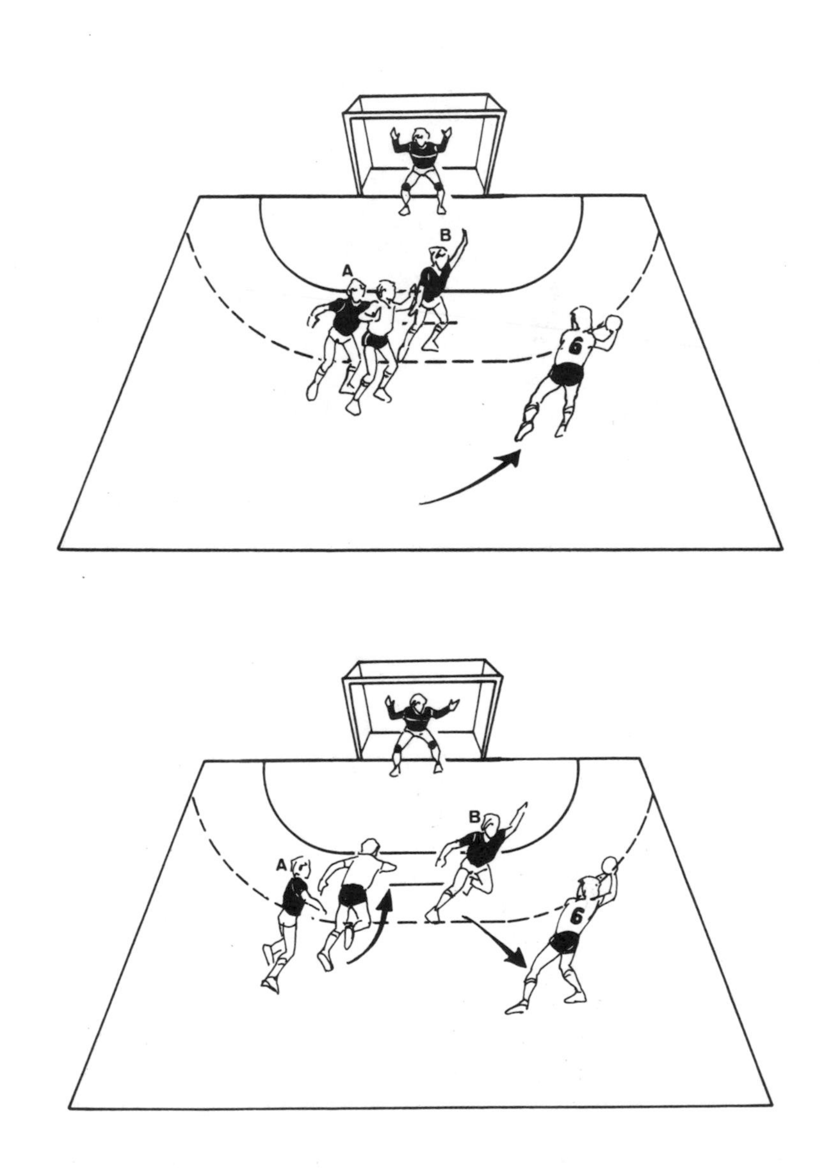
B
A
6
B
A
6

— Le 3 × 3 AL, AR, AVC.

Ces phases d'attaques se font à partir d'actions menées sur des défenseurs évoluant dans leur secteur habituel et devant leur adversaire habituel.

Il est parfois nécessaire, compte tenu de la valeur de la défense, de préparer les choix vus précédemment par des mouvements d'attaquants avec ou sans ballon. Ces mouvements sont alors destinés à mettre la défense en difficulté en obligeant les défenseurs à effectuer, eux aussi, des déplacements et des changements de prise en charge des attaquants. Ce travail préparatoire amène un retard de défense qui permettra de mieux « placer » des combinaisons de 1 × 1, 2 × 2, 3 × 3.

Les différents schémas mis en place seront choisis en fonction des forces de l'équipe et en fonction du type de défense proposée par l'adversaire (défense alignée, étagée, basse ou montée, homme à homme, ou zone).

Quelques exemples

— Devant une défense alignée et peu montée (6 à 7 m), les mouvements de joueurs vont se faire devant la défense.

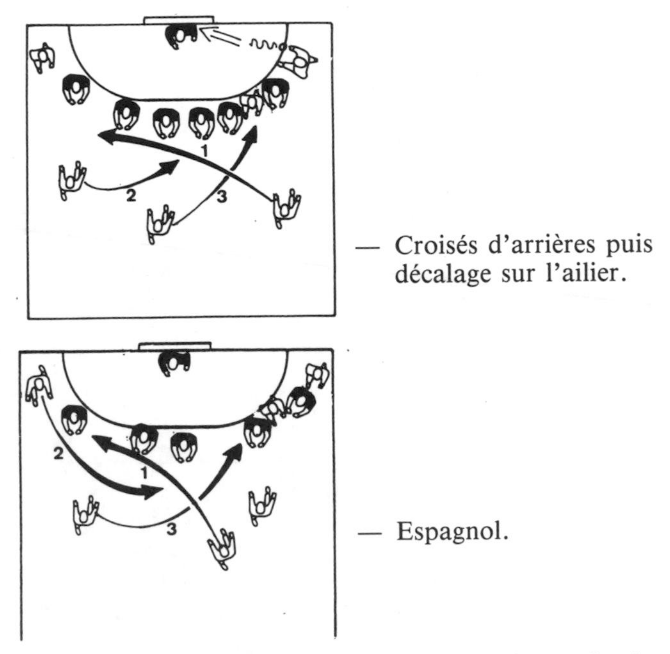

— Croisés d'arrières puis décalage sur l'ailier.

— Espagnol.

On peut également rechercher le tir au-dessus du pivot d'attaque.

— Devant une défense étagée et montée (8 à 10 m) les mouvements de joueurs vont s'effectuer derrière la défense, à l'intérieur entre la défense et la zone.

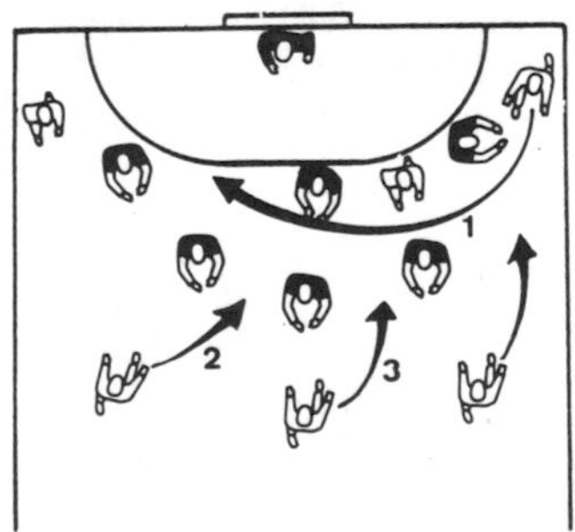

Entrée d'un ailier en 2e pivot.

Entrée d'un arrière en 2e pivot.

— Il arrive qu'un attaquant reconnu « dangereux » par la défense parce qu'il marque de nombreux buts ou parce qu'il organise l'attaque (le meneur de jeu), soit marqué individuellement en homme à homme.

L'attaque va alors choisir de se passer de ce joueur. Elle peut alors attaquer à 5 contre 5, ou intégrer ce joueur à l'attaque par des relations prévues, travaillées à l'entraînement, qui lui permettent de se libérer du marquage individuel.

Exceptionnellement, à un haut niveau, 2 voire 3 joueurs peuvent être marqués individuellement, il est alors important d'avoir des parades face à ce type de défense.

Comme nous l'avons vu, il arrive qu'un ou plusieurs joueurs peuvent être exclus du terrain

— provisoirement : **exclusion de 2 minutes**,

— définitivement : **exclusion définitive ou expulsion**.

L'attaque peut avoir à évoluer, suivant le cas, en infériorité numérique : 5 attaquants contre 6 défenseurs (ou 4 contre 5, ou 4 contre 6) ou en supériorité numérique : 6 attaquants contre 5 défenseurs (ou 5 contre 4, ou 6 contre 4).

L'entraîneur devra avoir prévu ces différents cas afin d'apporter des réponses à ces situations particulières.

Lors d'une infériorité numérique, l'attaque essaie, en général, d'être patiente dans la préparation pour ne pas risquer de perdre le ballon et de ce fait le donner à l'adversaire qui, lui, est en surnombre.

L'expérience montre que, dans ce cas, la défense a tendance à se relâcher et il n'est pas rare de voir l'attaque marquer.

En cas de supériorité numérique, l'attaque essaie d'amener un joueur en très bonne position de tir, ce qui, du fait du surnombre, peut se réaliser assez facilement.

Les choix tactiques qui sont faits pendant le match sont aussi fonction de deux paramètres : le score et le temps restant à jouer.

L'objectif final étant la victoire, l'équipe qui mène au score, si elle craint de voir l'adversaire égaliser ou la dépasser, aura tendance à choisir un jeu sans risque. Elle sera cependant tenue d'être entreprenante puisque le règlement prévoit de sanctionner une équipe au jeu trop passif. A l'inverse, une équipe menée au score essaiera de combler son retard en adoptant un jeu à risque.

Cette tactique comporte cependant quelques aléas car, en cas d'échec, l'écart de but pourra être encore plus important à la fin du match. Cette tactique est assimilable à un quitte ou double : elle permet soit une remontée spectaculaire au score soit, au contraire, une aggravation défavorable du nombre de buts d'écart.

2.2 - LA PRÉPARATION TACTIQUE EN DÉFENSE

Dès qu'une équipe n'est plus en possession du ballon, elle est en **défense.**

Elle cherche alors à récupérer le ballon pour passer d'une position de défense à une position d'attaque sans que cette récupération soit la conséquence d'un but marqué par l'adversaire (remise en jeu).

Le double objectif, protection du but - récupération de la balle, va amener l'équipe jouant en défense à agir de plusieurs façons.

Individuellement, chaque joueur utilisera ses savoir-faire pour contrer, contrôler, gêner son adversaire direct.

Collectivement, la défense s'adaptera aux caractéristiques et points forts de l'attaque et privilégiera les formes défensives adaptées aux possibilités de ses joueurs. La défense pourra être alignée, haute ou basse, étagée. Elle pourra préférer le flottement (action de déplacement de tous les joueurs en fonction de la situation du ballon pour aller vers lui) ou le marquage de l'adversaire (homme à homme).

Souvent, les défenses feront un mélange subtil de ces 2 principes pour être plus efficaces.

Exemples de défenses

— ***Défense alignée :*** 0 - 6

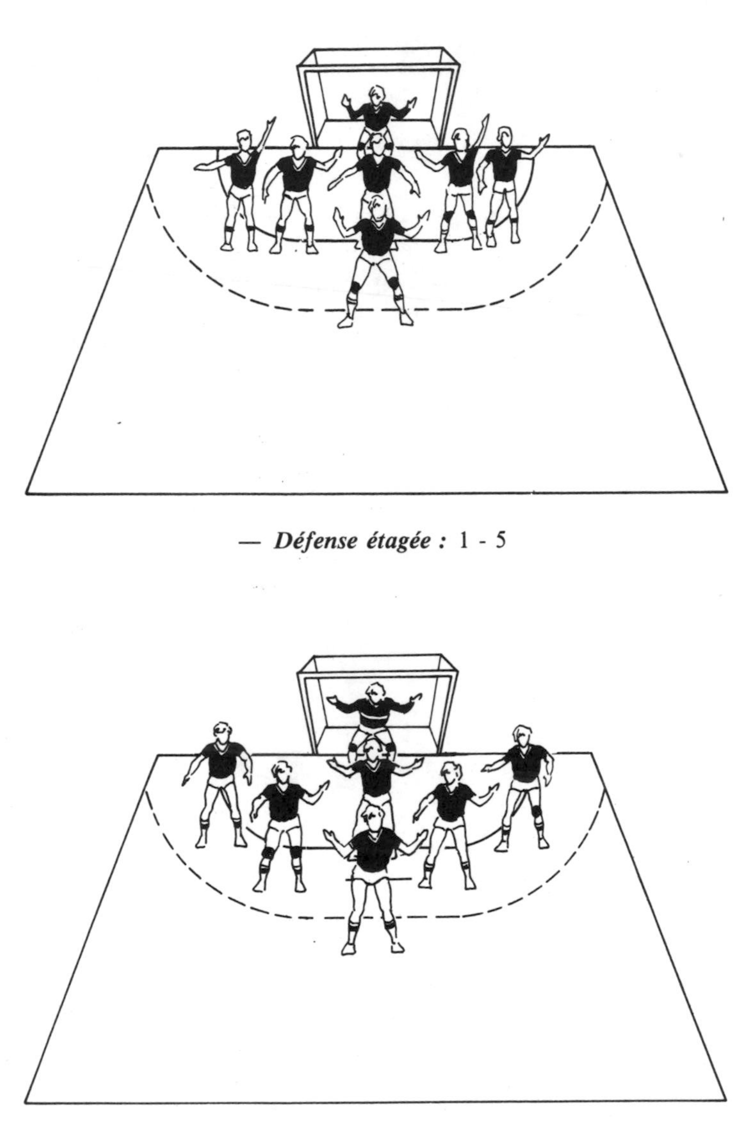

— *Défense étagée :* 1 - 5

— *Défense étagée :* 1 - 2 - 3

— *Défense étagée :* 5 - 1

Le choix du type de défense n'est pas sans incidence sur le secteur défensif que l'on souhaite privilégier.

Une défense aplatie et alignée donne la priorité à la protection du but (défense défensive) alors qu'une défense étagée et haute donne la priorité à la récupération du ballon (défense offensive).

Là encore, le rapport de force entre l'attaque et la défense détermine le choix à faire.

Un défenseur pourra être détaché du collectif défensif afin de mieux surveiller un attaquant jugé dangereux.

Les choix tactiques défensifs pourront, comme pour l'attaque, être modifiés en fonction d'une éventuelle supériorité ou infériorité numérique, de l'évolution du score et du temps restant à jouer.

Enfin, une alternance des systèmes défensifs doit être préconisée afin d'éviter une trop grande possibilité d'adaptation de l'attaque adverse. Le dernier défenseur — le gardien de but — fera l'objet d'un chapitre particulier.

Tir d'un pivot - GARDENT (France).

3. LA PRÉPARATION PHYSIQUE

Comme dans de nombreux sports, la préparation physique doit être prise en considération dans l'entraînement des joueurs de Handball.

Tout d'abord les qualités physiques de base doivent être développées : la force, la vitesse, la souplesse, la détente, les capacités énergétiques.

Elles conditionnent toutes, à certains moments, la réussite du geste choisi. Elles rendent possible l'exécution d'une succession d'actes de jeu pendant toute la durée de la ou des rencontres lorsqu'il s'agit de tournois ou de compétitions s'étalant sur plusieurs jours. L'entraîneur choisit entre plusieurs moyens pour améliorer les qualités physiques de ses joueurs. Il peut proposer :

• des séances de préparation physique générale qui se déroulent soit au stade, soit dans des salles spécialisées. Il propose alors des exercices adaptés au développement des qualités physiques du handballeur mais sans utiliser la technique du Handball.

— *Exemples :* musculation avec barre, course sur un stade, footing dans les bois.

Exemple de séance de musculation

6 ateliers :
— développés couchés,
— 1/2 squats,
— arrachés,
— abdominaux,
— presse oblique,
— dorsaux ;

• des séances de préparation physique qui se déroulent dans la salle de Handball avec du matériel dérivé de ce sport (*ex. :* médecine-ball) ou qui font appel à des exercices proches des actions faites au cours d'un match : circuit training, exercice de détente ;

• des séances de Handball dont l'un des objectifs sera l'amélioration des qualités physiques. Pour cela, les exercices proposés sont par leur nombre, le nombre de répétition, le nombre de séries, le temps de travail, le temps de repos, organisés pour répondre à l'objectif choisi.

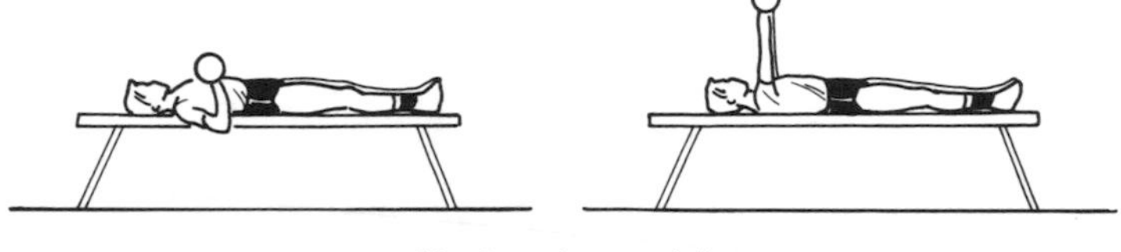

développés couchés

1/2 squats

arrachés

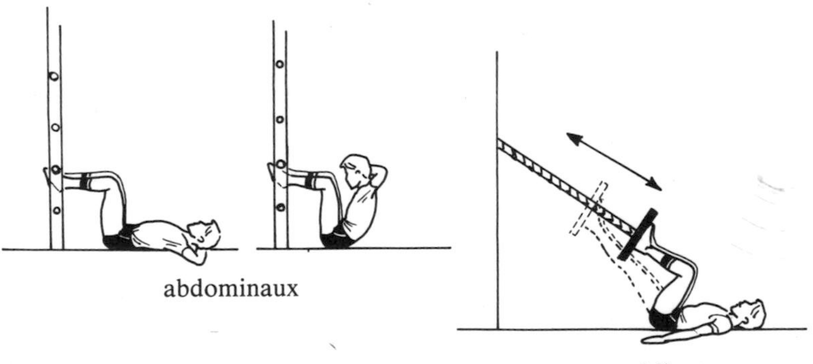

abdominaux

presse oblique

Le dosage entre l'entraînement technique, tactique et physique que nous venons d'évoquer sera précisé dans le chapitre sur la programmation.

4. LE GARDIEN DE BUT

Premier attaquant et dernier défenseur de l'équipe, le gardien de but occupe une place très spécifique qui fait de lui un joueur à part. Sur le terrain, il est le seul à pouvoir évoluer dans la zone se trouvant devant ses buts. Sa surface de but est inviolable alors que « l'espace aérien » se trouvant au-dessus de cette surface peut être utilisé pour jouer. L'utilisation récente de cet espace a beaucoup contribué à rendre le Handball plus spectaculaire.

Le gardien est également le seul joueur à pouvoir utiliser toutes les parties de son corps pour toucher la balle (y compris les pieds). La préparation du gardien de but est aussi différente de celle des joueurs de terrain car les actions de jeu qu'il doit faire sont bien spécifiques. Sa tâche principale est d'interdire l'entrée du ballon dans le but lors des tentatives de tir. Avant le tir, il choisit un **placement** adapté à la position du porteur de balle (qui est un tireur potentiel).

Pendant la préparation au tir, il tient compte d'un certain nombre de paramètres :

— course du tireur,

— bras de tir (droit ou gauche),

— angle de tir (ouvert ou fermé),

— position de la défense,

— trajectoire de tirs préférentielle (lorsqu'il les connaît).

Il doit attendre le moment où le tireur ne pourra plus changer son tir pour bouger, sous peine de se faire prendre « à contre-pied », mais s'il attend trop, toute parade sera inefficace.

Il a la possibilité de feinter le tireur en partant d'un côté et en y revenant très rapidement.

Les principales qualités du gardien de but sont :

— le cran ou le courage : ne pas avoir peur du ballon qui arrive parfois à plus de 100 km/heure,

— la vitesse : aller vite devant la balle,

— la souplesse : pouvoir atteindre toutes les parties du but quelle que soit sa position de départ,

Le gardien de but — MÉDARD (France).

— l'anticipation : être capable, à partir de certains signaux, de déterminer la trajectoire du ballon la plus probable,

— la force pour résister aux chocs du ballon mais aussi parfois des attaquants qui percutent le gardien de but après avoir tiré,

— l'adresse pour pouvoir, après un arrêt ou une sortie de but, relancer le ballon à un partenaire.

Comme les autres joueurs, il a une préparation physique générale, une préparation physique spécifique où le travail de souplesse et de vitesse est permanent.

Le travail technique se fait lors des séances réservées aux gardiens de but sur des exercices adaptés aux objectifs visés. Elles peuvent se faire avec des tireurs ou sans tireurs.

Enfin, à l'occasion de l'entraînement collectif, le gardien peut tenir son rôle dans les buts.

Tir plongé à 6 mètres - GRILLARD (France).

CHAPITRE III

COMMENT PRÉPARER L'ÉQUIPE ?

1. L'ORGANISATION DE L'ÉQUIPE

L'équipe de Handball est composée de 12 joueurs : 2 gardiens de but et 10 joueurs de champ.

Les équipes de 1re Division peuvent, depuis 1991, utiliser 14 joueurs.

Pendant la rencontre, seuls 7 joueurs peuvent se trouver sur le terrain : 1 gardien de but et 6 joueurs de champ. Nous avons vu précédemment qu'en général, les 6 joueurs de champ se placent en attaque en 3 avants et 3 arrières.

Il est souhaitable que les joueurs se trouvant sur le côté gauche de l'attaque soient droitiers et que les joueurs se trouvant à droite soient gauchers. Ceci n'est cependant pas une règle. Quant au demi-centre et à l'avant-centre, ils sont indifféremment droitiers ou gauchers.

Les qualités recherchées chez les arrières sont (comme à chaque poste) la vitesse mais aussi la force, la détente. Ces joueurs sont, en général, d'un grand gabarit afin de pouvoir effectuer des tirs par dessus la défense.

Les qualités des avants sont surtout la vitesse, l'adresse, la détente. Les ailiers ne sont, en général, pas des joueurs de très grande taille alors que, dans le Handball moderne, l'avant-centre qui, pendant des années était recruté parmi les joueurs de petite taille, se recrute maintenant chez les joueurs grands.

Le rôle de chacun des joueurs est déterminé par ses qualités propres et par les choix tactiques de l'entraîneur.

Les choix des postes occupés et l'organisation des joueurs en défense sont aussi en fonction de la taille de ceux-ci, mais aussi de leur rapidité de déplacement et de leur résistance physique.

Là encore, les choix tactiques déterminent les tâches de chacun d'eux. Exception faite du **capitaine**, joueur officiellement mandaté pour dialoguer avec les arbitres et représenter son équipe, la plupart des équipes disposent d'un **meneur de jeu** (qui peut être également capitaine). Son rôle est de coordonner aussi bien en attaque qu'en défense les actions offensives et défensives de son équipe. Il le fera en étroite collaboration avec l'entraîneur.

Comme le règlement le permet, les joueurs d'une même équipe peuvent se remplacer sur le terrain à tout moment. Aussi voit-on depuis plusieurs années des joueurs participer à l'attaque et sortir du terrain au moment de la défense pour être remplacés par d'autres joueurs spécialisés en défense.

Cette opération doit être effectuée très rapidement car, puisqu'il n'y a pas d'arrêt de jeu, l'adversaire peut profiter de ce moment de « flottement » dans la défense.

L'entraîneur (qui est aussi manager) a une grande importance dans l'organisation de l'entraînement et la gestion des compétitions.

Il doit, par ses compétences techniques, son sens des relations humaines, sa capacité à gérer un groupe, permettre à chaque joueur de s'améliorer en fonction de ses possibilités, mettre en place un style de jeu adapté aux moyens des joueurs et de l'équipe et les assister dans les compétitions.

2. LA PROGRAMMATION

La notion de programmation de l'entraînement est apparue assez tard au Handball. Il a fallu attendre la création de structures d'entraînement permanentes comme les sections sport études, le centre de haut niveau de l'INSEP, le Bataillon de Joinville, pour qu'une réflexion et une expérimentation soient menées. La programmation en athlétisme a largement contribué à aider alors les entraîneurs de Handball à organiser dans le temps leurs séances d'entraînement.

Depuis, la multiplication des structures d'entraînement ainsi que l'augmentation du volume d'entraînement dans les clubs font que la programmation est couramment utilisée.

Elle répond à quelques règles précises concernant le volume, l'intensité de l'entraînement, le choix des thèmes travaillés en fonction de la période de l'année.

On peut schématiser en distinguant 4 types de cycles d'entraînement :

La période de préparation générale

— ***Objectifs :*** préparation physique généralisée, préparation technique et tactique.

— ***Moyens :*** volume de travail important. Intensité de travail moyenne.

La période pré-compétition

— ***Objectifs :*** préparation spécifique en fonction de l'échéance proche.

Travail physique, tactique.

— ***Moyens :*** volume de travail moyen. Intensité très forte.

Période de compétition

L'entraînement se fait entre les matchs et quelquefois le matin du match.

— ***Objectifs :*** affinements tactiques, dynamisation des joueurs.

— ***Moyens :*** séances courtes et très intenses.

Période de post-compétition

Après une très courte période de repos relatif comprenant des exercices de récupération comme les soins thermaux et les étirements, l'entraînement va reprendre progressivement en volume et en intensité. La durée exacte des cycles ainsi que l'intensité et le volume horaire d'entraînement sont fonction du niveau d'entraînement et de pratique des joueurs, de leur disponibilité ainsi que des ambitions des joueurs et du groupe.

Des tests médicaux et de terrains peuvent être utilisés pour contrôler la forme des handballeurs afin d'adapter le programme d'entraînement prévu en fonction de la situation objectivée.

3. LA GESTION DU GROUPE, LA PRÉPARATION PSYCHOLOGIQUE

Comme dans les autres sports collectifs, l'entraîneur doit organiser et gérer le groupe afin d'obtenir de lui les meilleurs résultats possibles. Il devra s'adresser parfois au groupe en tant qu'équipe, et à certains moments, aux individus qui constituent ce groupe.

Les éventuelles tensions que l'entraîneur doit gérer peuvent exister :

— entre les joueurs eux-mêmes,

— entre le groupe et lui-même,

— entre un ou plusieurs joueurs et lui-même.

La définition des objectifs en début de saison ainsi que l'ajustement de ces objectifs en cours de saison doivent, le plus possible, être en corrélation avec les résultats de l'équipe. Un trop grand décalage entre les objectifs annoncés et les résultats est facteur de problèmes au sein d'un groupe.

La préparation psychologique de l'équipe sera un souci de tous les instants. Il n'est, en effet, pas suffisant de parler de préparation psychologique d'avant match même si celle-ci est importante.

En réalité, c'est à chaque entraînement ou, plus largement, à chaque fois que le groupe est réuni que l'amalgame entre les joueurs et l'entraîneur se fait.

La qualité de l'entraînement, l'adhésion des joueurs aux projets du groupe, le sérieux de la préparation sont autant de facteurs qui influent sur le rendement de l'équipe.

Tout ceci ne va pas sans intégrer une certaine convivialité qui peut aller de la camaraderie à l'amitié.

ANNEXE I

ARBITRAGE

Jusqu'en 1970, les rencontres de Handball étaient arbitrées par trois arbitres : un arbitre principal qui évoluait sur le terrain et qui était le seul à pouvoir siffler les fautes. Il était aidé dans sa tâche par deux arbitres qui se tenaient près de chaque but. Ceux-ci étaient chargés de confirmer la validité d'un but quant au passage du ballon derrière la ligne de but et d'informer l'arbitre principal des éventuels empiètements dans la zone que les attaquants et les défenseurs

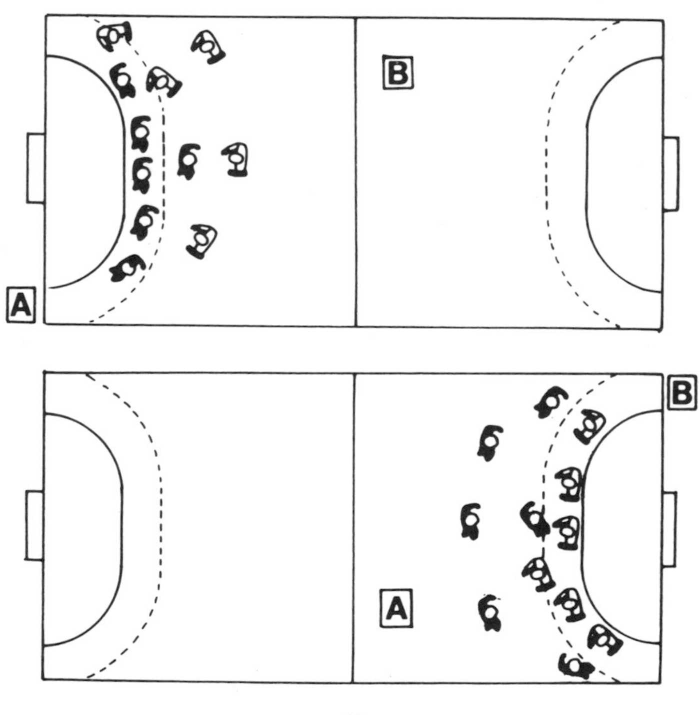

pouvaient commettre. Ils pouvaient, de plus, aider l'arbitre principal lorsque celui-ci leur demandait des informations. Depuis 1970, le double arbitrage est entré en vigueur. Les deux arbitres se répartissent sur le terrain afin d'être, à tour de rôle, arbitre de champ (arbitre principal) et arbitre de but.

Ils suivent toutes les actions qui se déroulent sur le terrain : celles qui se font avec le ballon, celles qui se font sans ballon.

Les deux arbitres peuvent siffler pour sanctionner les fautes commises.

Ils doivent également valider les buts marqués ainsi que siffler les remises en jeu.

Les fonctions des arbitres sont multiples. Avant la rencontre, ils doivent vérifier que toutes les conditions sont réunies pour un bon déroulement du jeu :

Pendant la rencontre, ils doivent veiller à ce bon déroulement suivant l'esprit du Handball et son règlement.

Dans toute la mesure du possible, la discrétion est de mise, les éléments à mettre en valeur pendant le match sont le jeu et les joueurs. Les arbitres veillent également, en relation avec la table de marque, au respect du temps de jeu et au bon comptage des buts marqués.

Après la rencontre, ils indiquent sur la feuille de match le résultat de la rencontre et les éventuels incidents.

Il existe plusieurs niveaux d'arbitres :

— départemental,

— ligue,

— interligue,

— fédéral,

— international.

Des stages et des examens sanctionnent le passage d'un niveau à un autre.

LES GESTES DE L'ARBITRE

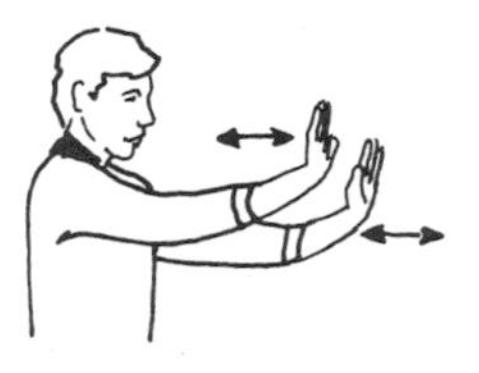

A trois mètres

Remise en jeu

Jet d'arbitre

But

Renvoi

Double dribble

Faute d'attaquant
Bousculer, rejeter contre l'adversaire en courant, en sautant

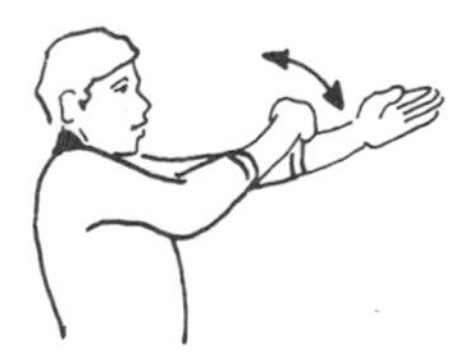

Faute sur le bras

Ceinturer et pousser

Marcher en 3 secondes

Avertissement (jaune)
Disqualification (rouge)

Exclusion
(2 minutes)

ANNEXE II

TRAUMATOLOGIE, SOINS ET DIÉTÉTIQUE

La traumatologie du handballeur

L'entraînement, par sa progressivité en début de saison et par l'adéquation des exercices demandés à l'état de forme et de santé des joueurs, permettra de limiter les risques de traumatisme.

Comme dans tous les sports et plus particulièrement les sports de contact, le joueur de Handball risque de se blesser dans la pratique de son sport. Les accidents les plus fréquents sont les entorses des membres inférieurs : chevilles, genoux, et des membres supérieurs : doigts, poignets.

Les fractures sont peu fréquentes. Elles concernent en général le pied, la cheville, la main et les doigts.

Après un choc entre deux joueurs, il peut résulter une « béquille » qui est un coup de genou dans la cuisse d'un adversaire.

Enfin les tendinites au niveau des différentes articulations peuvent gêner la pratique du sport. Les plus fréquentes sont les tendinites du tendon d'Achille, du tendon rotulien et des ligaments de l'épaule. La présence permanente d'un kinésithérapeute et la collaboration d'un médecin sportif contribuent à maintenir les handballeurs en bonne santé.

La rapidité d'intervention au moment d'une blessure permet souvent de limiter les séquelles de celle-ci. L'application de froid sous forme de glace ou de produit réfrigérant ainsi que l'immobilisation sont les deux mesures immédiates à prendre en cas d'entorse ou de coup.

Pour tout autre traumatisme plus grave, l'arrêt de jeu et l'orientation vers un établissement spécialisé sont nécessaires.

Tout arrêt de pratique et toute immobilisation (plâtre ou attelle) nécessitent une période de rééducation et de remise en forme. Cette période qui précède la reprise de l'entraînement est très importante car elle permet de consolider l'articulation endommagée.

Une reprise d'effort trop rapide et pas contrôlée engendre parfois des blessures « à répétition ».

La diététique

Il faut considérer la diététique dans les différentes phases de la vie du joueur : avant, pendant et après l'effort.

La ration alimentaire du handballeur, comme celle de tout sportif, doit être équilibrée, c'est-à-dire qu'elle comportera des protéines (viandes, œufs, poissons,...), des lipides (huile, graisses végétales et animales,...) et des glucides (sucres lents : riz, pâtes,... et sucres rapides : sucre raffiné, confiture,...).

En période d'entraînement, le joueur veillera à respecter l'équilibre de son alimentation :

— Protéines : 15 % (1/2 animales, 1/2 végétales),
— Lipides : 35 % (1/3 animales, 2/3 végétales),
— Glucides : 55 % (1/3 sucres rapides, 2/3 sucres lents).

Dans la période pré-compétitive le joueur effectuera son dernier repas environ 3 heures avant le match. La composition de celui-ci sera équilibrée comme en période d'entraînement. Le joueur devra veiller à s'hydrater régulièrement jusqu'au match. Pendant le match (durée d'environ 1 h 30 échauffement compris) l'hydratation sera suffisante. L'apport de nourriture solide n'est pas nécessaire. On peut cependant ajouter un peu de sucre rapide à l'eau.

La ration alimentaire de récupération, après le match, doit permettre de combler le déficit hydrominéral. Il faut donc boire beaucoup d'eau contenant des sels minéraux, comme le Vichy et la soupe salée. L'alimentation solide sera composée de fruits et de légumes. Les viandes en général, mais surtout la viande rouge, sont à éviter juste après le match en raison des déchets acides qu'elles risquent de produire dans un organisme fatigué.

ANNEXE III

ORGANISATION DES COMPÉTITIONS ET PALMARÈS

Championnats

Les compétitions ouvertes aux clubs sont organisées selon le niveau des équipes. Le plus faible est le niveau départemental, viennent ensuite le niveau de la ligue et enfin le niveau national.

L'assemblée générale de la FFHB détermine tous les ans les modifications à apporter aux championnats en vigueur.

A partir de la saison 1991-1992 : le nombre d'équipes en N1B, N2 et N3 va être réduit, en revanche une N4 sera créée.

Les compétitions régionales sont organisées par les ligues régionales et les compétitions départementales sont gérées par les Comités Départementaux.

Le niveau national géré par la Fédération Française, comporte cinq divisions dans les championnats masculins qui, à partir de la saison 1991-1992, se découpent de la façon suivante :

— la Nationale 1 A : 12 équipes,

— la Nationale 1 B : 12 équipes (1 poule de 12 équipes),

— la Nationale 2 : 24 équipes (2 poules de 12 équipes),

— la Nationale 3 : 48 équipes (4 poules de 12 équipes),

— la Nationale 4 : 96 équipes (8 poules de 12 équipes).

Différents systèmes permettent aux équipes les mieux classées d'accéder au niveau supérieur et aux moins bien classées d'être rétrogradées au niveau inférieur.

Chez les féminines il existe :
— la Nationale 1 A : 10 équipes (1 poule de 10 équipes),
— la Nationale 1 B : 18 équipes (3 poules de 6 équipes),
— la Nationale 2 : 72 équipes

Les différentes formules permettent de désigner les champions de France N1 A, N1 B,...

En masculin et féminin il existe également une Coupe de France.

Les clubs de Nationale 1 A et Nationale 1 B présentent également une équipe « Espoirs » de jeunes de moins de 22 ans qui calque son championnat sur celui de l'équipe « Senior » du club.

Coupe d'Europe

Les deux meilleures équipes du niveau N1 A ainsi que le vainqueur de la Coupe de France participent aux différentes Coupes d'Europe.

Les meilleurs résultats obtenus dans cette compétition l'ont été par l'U.S. CRÉTEIL qui, en 1989, s'est incliné en finale de la Coupe devant ESSEN (Allemagne).

Compétitions internationales

La Fédération Internationale de Handball organise des championnats à trois niveaux : A, B et C. Un système de qualification permet aux sélections nationales de passer de l'un à l'autre.

La France a franchi depuis 1985 les trois échelons du Mondial C au Mondial B en 1987 en Italie, du Mondial B au Mondial A en France en 1989 et du Mondial A aux Jeux Olympiques de BARCELONE de 1992, en TCHÉCOSLOVAQUIE en 1990.

Il faut noter que ce sera la première participation de l'équipe de FRANCE masculine aux Jeux Olympiques.

Chez les femmes, les mêmes systèmes sont appliqués. En 1989, l'équipe de France féminine s'est qualifiée pour les Championnats du Monde A. La catégorie « Espoirs » en hommes et en femmes participent également à des Championnats du Monde.

Équipe de France
qualifiée pour les Jeux Olympiques de Barcelone.

De gauche à droite :
DEBOUT : **F. PEREZ, P. MAHÉ, P. SCHAFF, F. VOLLE, D. LATHOUD, L. MUNIER, P. DEBUREAU.**
AU CENTRE : **T. PERREUX, J.-L. THIEBAUT, P. GARDENT, G. DEROT, E. QUINTIN.**
ASSIS DEVANT : **A. PORTES, D. TRISTANT, J. RICHARDSON, G. MONTHUREL, D. HAGER.**

PALMARÈS

CHAMPIONNATS DE FRANCE NATIONALE 1

Hommes 1987 : USM Gagny
1988 : Nîmes
1989 : Créteil
1990 : Nîmes
1991 : Nîmes

Femmes 1987 : USM Gagny
1988 : ES Besançon
1989 : Gagny
1990 : Metz
1991 : Gagny

CHAMPIONNATS DU MONDE *(tous les 4 ans)*

Hommes 1986 : Yougoslavie
1990 : Suède

Femmes 1986 : URSS
1990 : URSS

JEUX OLYMPIQUES « Séoul 1988 »

Hommes : URSS

Femmes : Corée du Nord

MAHÉ (Créteil).

ANNEXE IV

ADRESSES UTILES - RENSEIGNEMENTS

La Fédération Française de Handball édite une revue mensuelle à laquelle chacun peut s'abonner. Elle propose également des cassettes vidéo à la vente.

— **Fédération Française de Handball**
62, rue Gabriel Péri, 94257 GENTILLY.
Tél. : (1) 46 63 47 00.

ADRESSES DES LIGUES RÉGIONALES
où vous adresser pour tout connaître sur le Handball local

01 ALSACE (67, 68)
15, rue de Genève, Maison des Sports, 67010 STRASBOURG
Tél. : 88 37 00 93 - Télécopie : 88 24 14 03

02 AQUITAINE (24, 33, 40, 47, 64)
1, rue Prunier, 33300 BORDEAUX
Tél. : 56 52 33 00

03 AUVERGNE (03, 15, 43, 63)
Foyer Home Dome, 12, place de Regensburg,
63000 CLERMONT-FERRAND
Tél. : 73 34 12 75

04 BOURGOGNE (21, 58, 71, 89)
84, route de Dijon, 21600 LONGVIC
Tél. : 80 66 86 93

05 BRETAGNE (22, 29, 35, 56)
BP 3833, 35038 RENNES CEDEX
Tél. : 99 31 33 88

06 CENTRE (18, 28, 36, 37, 41, 45)
Normandie A. 2e gauche, Le Murger - BP 114
28104 DREUX CEDEX
Tél. : 37 46 13 70

07 CHAMPAGNE (08, 10, 51, 52)
BP 4007, 10013 TROYES CEDEX
Tél. : 25 78 24 18

08 CORSE (20)
BP 812, 20192 AJACCIO BERTHAULT
Tél. : 95 21 11 62

09 CÔTE D'AZUR (06, 83)
59, rue Saint-Augustin, 06200 NICE
Tél. : 93 21 25 00

10 DAUPHINÉ-SAVOIE (07, 26, 38, 73, 74)
BP 122, 10, place de la Convention, 38431 ÉCHIROLLES CEDEX
Tél. : 76 40 05 73 - Télécopie : 76 40 12 38

11 NORD-PAS-DE-CALAIS (59, 62)
7, avenue Pasteur, 59130 LAMBERSART
Tél. : 20 93 93 90 - Télécopie : 20 92 45 32

12 FRANCHE-COMTÉ (25, 39, 70, 90)
BP 261, 22, avenue Carnot 25016 BESANÇON CEDEX
Tél. : 81 88 56 03 - Télécopie : 81 80 27 73

13 LANGUEDOC-ROUSSILLON (11, 30, 34, 48, 66)
1016, avenue du Dr Flemming, St-Césaire, 30000 NÎMES
Tél. : 66 62 14 14

14 LIMOUSIN (19, 23, 87)
Maison des Sports, 35, boulevard de Beaublanc, 87100 LIMOGES
Tél. : 55 77 98 71

15 LORRAINE (54, 55, 57, 88)
Cité des Sports, 43, rue Sergent Blandan, 54000 NANCY
Tél. : 83 28 18 00

16 LYONNAIS (01, 42, 69)
382, rue Garibaldi, 69007 LYON
Tél. : 78 73 18 14

17 NORMANDIE (14, 27, 50, 61, 76)
Foyer Municipal, rue Masson, 76350 OISSEL
Tél. : 35 64 01 47

18 PAYS DE LOIRE (44, 49, 53, 72, 85)
BP 20, 4, rue de la Roirie, 49500 SEGRE
Tél. : 41 92 87 87

19 PARIS ILE-DE-FRANCE EST (77, 93, 94)
9, rue de Paris, 93230 ROMAINVILLE
Tél. : (1) 48 45 84 70

20 PARIS ILE-DE-FRANCE OUEST (75, 78, 91, 92, 95)
89, rue Jean Bleuzen, 92170 VANVES
Tél. : (1) 46 44 87 68

21 PICARDIE (02, 60, 80)
BP 66, 60700 PONT-STE-MAXENCE
Tél. : 44 72 55 62

22 POITOU (16, 17, 79, 86)
330, route de Paris, 16160 GOND-PONTOUVRE
Tél. : 45 69 23 16

23 PROVENCE (04, 05, 13, 84)
BP 169, 13697 MARTIGUES CEDEX
Tél. : 42 80 26 11

24 PYRÉNÉES (09, 12, 31, 32, 46, 65, 81, 82)
19, chemin des Maraîchers, Résidence Le Clos - Bt 5,
31400 TOULOUSE
Tél. : 61 25 32 81

25 GUADELOUPE
26, rue Nassau, 97110 POINTE-A-PITRE
Tél. : 590 91 08 52

26 GUYANE
BP 1051, 97100 CAYENNE

27 MARTINIQUE
BP 141, 97202 FORT-DE-FRANCE CEDEX
Tél. : 596 61 15 83

28 NOUVELLE CALÉDONIE
BP 1719, NOUMÉA
Tél. : 687 28 12 75

29 POLYNÉSIE
BP 1442, PAPEETE-TAHITI

30 RÉUNION
Maison des Sports, route de la Digue, 97490 SAINTE-CLOTILDE
Tél. : 262 21 94 79

Imprimé en France par l'Imp. WILLAUME-EGRET, à Saint-Pierre-du-Perray
pour la Librairie BORNEMANN, en Février 1992
Dépôt légal effectué en Février 1992
N° d'ordre dans les travaux de la Librairie BORNEMANN : 4440
N° d'ordre dans les travaux de l'Imp. WILLAUME-EGRET : 3361